CLÁR

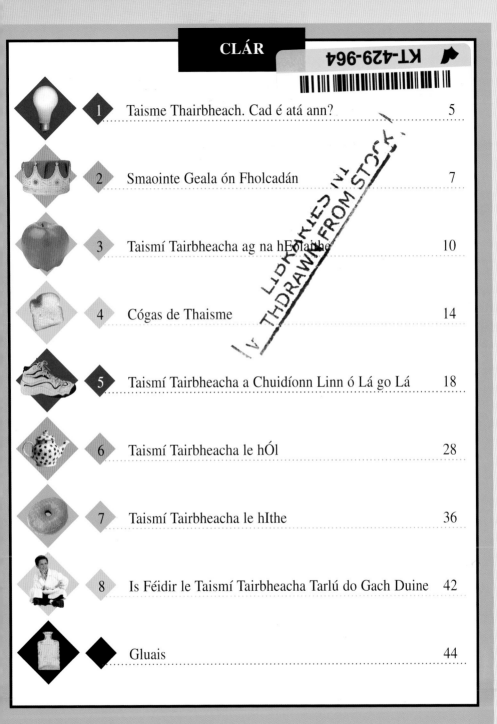

Taisme Thairbheach?
Cad é atá ann?

Sílimid gur eolaithe agus aireagóirí iad na daoine a aimsíonn rudaí nua. Daoine a chaitheann uaireanta fada an chloig ag meabhrú agus ag machnamh ar fhadhbanna móra an tsaoil go dtí go réitíonn siad iad!

In amanna, sin go díreach mar a aimsíonn daoine rudaí nua. Ach ní mar sin a tharlaíonn sé i gcónaí.

In amanna, tagann daoine ar rudaí nuair nach bhfuil siad á lorg. Tharla cuid de na rudaí is tábhachtaí atá againn ar dhóigheanna aisteacha. Tharla siad de thaisme! Taismí tairbheacha – ó tharla gur chuidigh siad linn sa deireadh. Ach taismí a bhí iontu go cinnte, ag an am.

Thig le taismí tairbheacha tarlú ag am ar bith, in áit ar bith agus do dhuine ar bith!

Ar ndóigh, má tá tú ag iarraidh go mbeidh taisme thairbheach agat féin, b'fhearr duit súil ghéar a bheith agat. Bí fiosrach!

Eolaí iontach ón Fhrainc a bhí i Louis Pasteur. Bhí neart smaointe úra aige agus tháinig sé ar lear mór rudaí úra (an dóigh le bainne paistéartha a dhéanamh, mar shampla). Chreid sé go raibh dhá rud de dhíth ar dhuine le teacht ar aireagán nó ar rud úr: an t-ádh agus d'intinn a chur leis.

Ní bheadh a fhios agat, b'fhéidir, go mbeidh an t-ádh ortsa agus go mbeidh taisme thairbheach agat féin.

AIREAGÁN IONTACH

=

D'INTINN A CHUR LEIS

+

AN tÁDH

Smaointe Geala ón Fholcadán

Dhá mhíle bliain ó shin bhí matamaiticeoir ina chónaí i Sioracús ar oileán darb ainm an tSicil. Airciméidéas an t-ainm a bhí air. Bhí fadhb ag rí na háite. Bhí coróin úr de dhíth air. Thug sé ór dá chuid searbhóntaí agus d'iarr sé orthu coróin ghalánta úr a dhéanamh dó.

Rinne na searbhóntaí coróin úr dó. Ba chóir go mbeadh áthas ar an rí, ach ní raibh. Ní raibh an choróin go díreach i gceart. Bhí an chuma ar na searbhóntaí go raibh siad i ndiaidh éirí saibhir! Bhí barúil ag an rí gur choinnigh na searbhóntaí cuid den ór acu féin agus gur úsáid siad cineál eile miotail leis an choróin a dhéanamh.

Ní raibh ach bealach amháin ann leis seo a chinntiú, agus ba é sin an choróin a leá. Ach bheadh an choróin millte aige. Mar sin chuaigh sé chuig Airciméidéas a bhí go maith ag réiteach fadhbanna. Arsa an rí le hAirciméidéas, "A

Airciméidéas, caithfidh tú an fhadhb seo a réiteach – nó beidh daor ort!" Thaitin fadhbanna le hAirciméidéas. Smaoinigh sé go dian ar an cheann seo ach ní thiocfadh leis í a réiteach. Bhí Airciméidéas buartha, nó ní maith le ríthe é nuair nach réitíonn daoine eile a gcuid fadhbanna.

Lá amháin, tharla rud iontach ar fad. Bhí Airciméidéas san fholcadán.

Bhí an folcadán lán aige. Isteach le hAirciméidéas agus shuigh sé go fadálach san uisce deas te teolaí. Ar ndóigh, de thairbhe go raibh an folcadán lán aige, thosaigh an t-uisce ag cur thar maoil. Níor mhiste le hAirciméidéas. Lig sé osna shona shásta, "Áá..."

Go tobann, shuigh sé suas caol díreach san fholcadán.

Níor shuigh sé ar an scuab, ní hé sin an rud a bhí ann. Bhí smaoineamh geal aige. Bhí sé i ndiaidh a oibriú amach go n-ardaíonn leibhéal an uisce nuair a théann tú isteach san fholcadán agus go n-íslíonn sé nuair a théann tú amach as. B'ionann an méid uisce a thit amach agus an méid spáis a bhí ina chorp. Thiocfadh leis a oibriú amach anois cá mhéad óir a úsáideadh i gcoróin an rí! Thiocfadh leis an chóróin a chur in uisce agus an t-ardú i leibhéal an uisce a thomhas. Thiocfadh leis an rud céanna a dhéanamh le píosa óir den mheáchan chéanna leis an chóróin. Má bhíonn an t-ardú céanna san uisce leis an chóróin agus leis an ór ciallaíonn sé sin nár ghoid na searbhóntaí ór an rí.

Bhí Airciméidéas chomh tógtha faoin 'taisme thairbheach' seo gur léim sé amach as an fholcadán agus gur imigh sé de rith tríd na sráideanna ag scairteadh "Iúiríce!" Rud a chiallaíonn "Tá sé agam!"

Taismí Tairbheacha ag na hEolaithe

Buille sa chloigeann a bhí ina thaisme thairbheach

Tráthnóna samhraidh sa bhliain 1666, bhí Isaac Newton ina shuí sa ghairdín ag amharc ar chorrán gealaí. "Cad é mar a fhanann an ghealach sa spéir?" ar seisean leis féin.

Ar an toirt, thit úll de chrann agus bhuail ar mhullach a chinn é. Níor scread Newton "Ááúú!" ná a dhath ar bith mar sin. Ina áit sin, léim sé ina sheasamh agus d'fhógair sé: "Tá an freagra agam! Caithfidh sé go bhfuil fórsa ann a thug ar an úll sin titim go talamh. Caithfidh sé go bhfuil fórsa ann a choinníonn gach rud ar domhan ina áit; sin nó bheimis ag imeacht linn isteach sa spás. Agus b'fhéidir gurb é an fórsa céanna é a choinníonn an ghealach sa spéir!" Thug Newton **domhantarraingt** ar an fhórsa seo.

Bhí meas mór ag daoine ar
Isaac Newton agus thug siad
aire mhaith dá chrann úll ar feadh
na mblianta ina dhiaidh sin. Choinnigh
a chlann taifead de gach crann úr a
d'fhás ann ón síol ón chéad chrann
– crann ginealaigh do chrann
úll! Tá crainn ag fás ó na
céadsíolta sin ar fud
an domhain.

Taismí Amaideacha

I rith an Dara Cogadh Domhanda bhí eolaithe Meiriceánacha ag iarraidh teacht ar ábhar sintéiseach a bheadh cosúil le rubar. Bhí James Wright ag obair don chomhlacht General Electric ag an am sin, agus bhí trialacha ar siúl aige le hola **shileacain**. Chuir sé **aigéad bórach** léi agus tharla rud aisteach. Bhí ábhar a bhí cosúil le marla aige. Cad é an úsáid a bheadh leis seo? Chuir sé samplaí den stuif seo chuig eolaithe eile, ach ní fhaca duine ar bith acu go mbeadh úsáid ar bith leis. Shíl siad uilig gur ábhar amaideach ar fad a bhí ann ach bhain siad sult as bheith ag súgradh leis.

Sa bhliain 1949 bhí smaoineamh iontach ag fear darbh ainm Peter Hodgson. Thaitin sé go mór leis bheith ag súgradh leis an stuif seo, mar sin, nár chóir é a dhíol mar bhréagán? Fuair sé iasacht airgid, chuir sé an t-ábhar aisteach seo i bpotaí plaisteacha agus dhíol sé é mar Silly Putty®.

12

D'aontaigh gach duine gur bréagán iontach a bhí ann. D'úsáid páistí agus daoine fásta é, go fiú na spásairí ar thuras Apollo 8. D'úsáid siad é leis na huirlisí a ghreamú sa dóigh nach n-imeodh siad sa spás gan domhantarraingt.

4

Cógas de Thaisme

An gcreidfeá go dtiocfadh le harán lofa do bheatha a shábháil?

Dochtúir a bhí in Alexander Fleming a bhí beo le linn an Chéad Chogaidh Dhomhanda. Bhí a fhios aige go bhfuair na mílte saighdiúir bás nuair a scaoileadh iad ach bhí a fhios aige chomh maith go bhfuair na mílte eile acu bás mar gheall ar **ionfhabhtú**. Bhí an chuma air nárbh fhéidir deireadh a chur le hionfhabhtú. Ach, tharla taisme sa bhliain 1928 a d'athraigh an scéal seo.

Bhí Fleming ag déanamh staidéir ar bhaictéar darbh ainm **stafalacocas** in otharlann St. Mary's, Londain. Is frídín uafásach é stafalacocas agus is é is cúis le hionfhabhtú de gach cineál. Bhí an baictéar seo 'ag fás' ag Fleming ina shaotharlann. Bhí Fleming rud beag dearmadach mar dhuine agus, nuair a d'imigh sé ar saoire, rinne sé dearmad na miasa a ní. Nuair a tháinig sé ar ais, chonaic sé go raibh na soithí in aice leis an fhuinneog clúdaithe le **múscán** coitianta – an cineál a fhásann ar sheanarán.

Bheadh na rudaí seo caite amach ag an ghnáthdhuine, ach ní hé sin an rud a rinne Fleming. Shocraigh seisean ar an ábhar seo a scrúdú faoin mhicreascóp, agus chuir an rud a chonaic sé a sháith iontais air. Bhí na frídíní ag fás leo agus é ar saoire, ach bhí ciorcail thart ar gach píosa múscáin, áit nach raibh stafalacocas ann ar chor ar bith. Bhí fungas éigin sa mhúscán seo a bhí ag marú an bhaictéir! Tugtar *Penicillium notatum* ar an fhungas seo.

D'oibrigh eolaithe eile ar an rud seo a d'aimsigh Fleming agus sa deireadh rinneadh **peinicillin**, druga a shábháil na milliúin ó thinneas agus ó bhás ar fud an domhain.

Leis na céadta bliain ba mhian le dochtúirí amharc isteach i gcorp an duine – is é sin gan an duine sin a chur faoi scian agus é 'a oscailt'. Sa bhliain 1923 tháinig eolaí Gearmánach, Wilhelm Roentgen, ar dhóigh leis seo a dhéanamh – de thaisme.

Bhí sé ag obair i seomra dorcha le feadán Crooks, feadán folúsach as a dtagann sruthanna de leictreoin laga darb ainm gathanna catóide. Bhí an feadán Crooks i mbosca cairtchláir dubh le nach n-éalódh solas ar bith. Ach nuair a chuir Roentgen an feadán Crooks ar obair tharla rud nach raibh sé ag dúil leis ar chor ar bith. Tharla go raibh scáileán **fluaraiseach** sa seomra céanna, agus nuair a tháinig an sruth as an fheadán Crooks thosaigh an scáileán a lonrú.

Bhí a sháith iontais ar Roentgen an 'taisme thairbheach' seo a fheiceáil. Thuig sé go raibh gathanna dofheicthe ag teacht amach as an fheadán agus ag dul tríd an bhosca. Fuair sé amach go dtiocfadh leis na gathanna seo dul tríd an chorp agus scáthchruth a fhágáil ar phláta grianghraif. Thug sé 'x-gha' ar na gathanna seo. Buíochas le taisme thairbheach Roentgen tá bealach anois ag dochtúirí 'amharc' isteach i gcorp an duine!

5

Taismí Tairbheacha a Chuidíonn Linn ó Lá go Lá

Cad é a steall mé ar mo bhróga reatha?

Nach olc an rud é nuair a steallann tú rud éigin ar do bhróga nua?

Sin a tharla do Patsy Sherman sna 1950í agus í ag obair ag comhlacht darbh ainm 3M. Bhí sí féin agus a comhthaighdeoirí ag obair le ceimiceáin speisialta le húsáid ar eitleáin nuair a steall sí cuid den cheimiceán ar a bróga reatha nua de thaisme. Rinne sí iarracht é a ghlanadh ach níor éirigh léi. Rinne sí dearmad air agus chaith sí na bróga céanna ar feadh cúpla seachtain.

Lá amháin d'amharc sí ar na bróga a bhí ag éirí rud beag salach agus caite, ach amháin na háiteanna ar stealladh na ceimiceáin. Bhí na háiteanna sin chomh glan le bróga úrnua!

18

Mar gheall ar an taisme thairbheach seo bhí rud nua le díol ag an chomhlacht: Rud ar a dtugtar Scotchguard! Baintear úsáid as sa lá atá inniu ann le troscán, éadach agus go leor rudaí eile a choinneáil glan!

Cad é a dhéanann tú le héadaí fíneálta atá le ní ach nach féidir uisce a chur orthu? Tugann tú chuig na tirimghlantóirí iad.

Cuireadh tús leis an tirimghlantóireacht de thaisme. Bhí Jean-Baptiste ina chónaí i bPáras sna 1950í. San am sin ní raibh leictreachas sna tithe agus ba ghnách le Jean-Baptiste lampaí ola a líonadh le **caimfín** gach oíche. I ndiaidh dó na lampaí a lasadh bhíodh dinnéar aige féin agus a bhean le solas na lampaí.

Oíche amháin, bhí Jean-Baptiste rud beag míchúramach. Steall sé cuid den chaimfín ar an bhrat tábla. Bhí a fhios aige go mbeadh fearg ar a bhean agus mar sin fuair sé éadach glan agus thosaigh sé a chuimilt. Ach tharla rud aisteach: d'éirigh an t-éadach a raibh an caimfín air ní ba ghlaine arís! Bhí sé chomh tógtha sin gur scairt sé ar a bhean le hamharc air.

Ar dtús bhí sí feargach. "Ach nach bhfeiceann tú é?" a cheistigh sé. "Tá bealach nua againn le héadaí a ghlanadh!

Thig linn iad a ghlanadh gan iad éirí fliuch ar chor ar bith!
Thig linn iad a ghlanadh agus iad tirim!"

Bhí monarcha ag Jean-Baptiste a chuir dath in éadach.
Thosaigh sé a chur seirbhís phoiblí ar fáil le héadaí a
ghlanadh. Shíl daoine a mhór di!

Rinne eolaithe trialacha le hábhair eile agus
chuir siad feabhas ó shin ar an chóras a bhí
ag Jean-Baptiste.

Le linn an Dara Cogadh Domhanda bhí Percy Le Baron Spencer ag déanamh trialacha eolaíochta le maighnéatróin don chomhlacht Raytheon. Is meaisíní iad maighnéatróin a dhéanann gearrthonnta raidió, nó micreathonnta. Bhí na trialacha seo ar siúl le cumarsáid agus le córais radair a dhéanamh níos fearr.

Bhí dúil mhór ag Spencer sa tseacláid. Lá amháin, tharla sé go raibh barra seacláide ina phóca aige. Tháinig ocras air agus, nuair a bhain sé amach as a phóca é, bhí sé go

hiomlán leáite. Thuig sé láithreach an rud a tharla: na micreathonnta a tháinig as an mhaighnéatrón ba chúis leis an tseacláid bheith leáite. Agus, ar ndóigh, bhí an ceart aige. Bhí Spencer iontach tógtha. Má thig le micreathonnta seacláid a leá thig leo cineálacha eile bia a chócaráil chomh maith!

Bhí an comhlacht iontach tógtha faoin smaoineamh seo, chomh maith agus thosaigh siad ar an chéad oigheann micreathonnach ar domhan – a bhuíochas le taisme thairbheach.

Is miotal iontach é iarann – tá sé láidir agus furasta a mhúnlú. Tá cuid mhór de ar fáil ar an phláinéad seo, mar sin, is miotal measartha saor é. Úsáidtear iarann i bhfoirm cruach le carranna, leoraithe, traenacha, iarnróid, droichid, foirgnimh arda, longa, fomhuireáin agus go leor leor rudaí eile a dhéanamh. Ach tá fadhb ann le cruach, má bhíonn teagmháil aici le haer agus le huisce, tagann meirg uirthi.

Sa bhliain 1913, bhí Harry Brearley ag iarraidh miotal fóirsteanach a aimsiú le bairillí gunnaí a dhéanamh. Caithfidh bairillí gunnaí bheith láidir agus díreach, ach éadrom le hiompar san am céanna. Thriail sé miotail éagsúla a mheascadh le cruach lena fheiceáil an ndéanfadh sé difear. (Tugtar cóimhiotal ar mheascán de mhiotail mar seo.) Ar an drochuair, níor oibrigh ceann ar bith de na cóimhiotail a rinne Brealey go rómhaith. Shocraigh sé, sa deireadh, go raibh sé ag cur amú a chuid ama. Bhailigh sé na bairillí gunnaí déanta as cóimhiotail agus chuir sé sa charnán bruscair iad ar chúl na saotharlainne.

Roinnt míonna ina dhiaidh sin, agus é ag caitheamh bruscar eile ar an charnán seo, mhothaigh sé rud éigin a chuir iontas air. I measc na mbairillí meirgeacha seo a bhí dumpáilte aige cúpla mí seo roimhe, bhí ceann amháin ann gan meirg ar bith air! Bhí a sháith iontais air. Bhí an miotal seo amuigh le sé mhí ar a laghad agus gach cineál aimsire ann agus ní raibh lorg meirge air ar chor ar bith! Cad é mar a tharla sé?

Tharraing Brearley amach an bairille gunna glan seo agus thug isteach sa tsaotharlann é. Rinne sé trialacha ar an mhiotal. Fuair sé amach go raibh 86 faoin chéad de chruach ann agus 14 faoin chéad de chróimiam ann! De thaisme – taisme thairbheach – bhí Harry Brealey i ndiaidh teacht ar rud a dtugaimid cruach dhosmálta uirthi sa lá atá inniu ann!

Cad é an dóigh a bhfuil bróga reatha, boinn cairr agus liathróid chispheile cosúil lena chéile?
Tá siad déanta as rubar.

Déantar rubar as sú ó chrann rubair. Tá daoine eolach air seo agus ag baint úsáide as seo leis na céadta bliain. Rinne taiscéalaithe bróga uiscedhíonacha as i bhfad ó shin. Ach ní raibh an t-ábhar seo ar dhóigh ar bith sásúil. Nuair a bhí an aimsir te leáigh siad agus nuair a bhí an aimsir fuar d'éirigh siad crua agus bhris siad mar a bheadh gloine ann.

Rinne eolaithe agus aireagóirí cuid mhór trialacha le rubar leis na fadhbanna seo a réiteach. Ba dhuine de na daoine seo é Charles Goodyear. Mheasc sé rubar le hábhair eile ina theach féin sna Stáit Aontaithe. Ach ní dhearna sé difear ar bith.

Lá amháin sa bhliain 1939, mheasc sé rubar agus sulfar. Lá fuar geimhridh a bhí ann agus bhí sé ag obair in aice leis an sorn le hé féin a choinneáil te. Steall sé cuid den mheascán seo ar an sorn te de thaisme. In áit leá, mhothaigh sé gur athraigh an rubar ina dhiosca. Thóg sé den sorn é agus mhothaigh sé go raibh sé solúbtha agus láidir. Chroch sé an diosca seo taobh amuigh san fhuacht. An lá arna mhárach, chonaic Goodyear go raibh an diosca rubair mar an gcéanna.

Thug Goodyear rubar 'bolcáinithe' ar an rubar úr seo mar gheall ar Bholcán, dia Rómhánach na tine.

6

Taismí Tairbheacha le hÓl

Ar mhaith leat cupán caife?

San iomlán, an bhfuil a fhios agat go n-ólann lucht ólta caife 400 billiún cupán caife gach bliain? Ólann daoine sna Stáit Aontaithe thart ar 400 milliún gach lá. Ólann muintir na Sualainne níos mó ná sin arís! Fástar thart ar 6.5 milliún tonna pónairí caife gach bliain.

De réir seanscéil, thosaigh an nós seo le gasúr darbh ainm Khali. Lá amháin, agus é amuigh lena chuid gabhar ar chnoc ag amharc amach ar an Mhuir Rua, mhothaigh sé go raibh na gabhair ag ithe caor a bhí ag fás ar na toim. Anois, ní raibh sé sin as áit ar chor ar bith, nó itheann gabhair gach rud. Ach ba é an rud a rinne siad i ndiaidh iad a ithe a chuir iontas ar an ghasúr. Ar an toirt, thosaigh siad a léim agus a phreapadh agus an chuma orthu go raibh siad i ndiaidh fuinneamh iontach a fháil.

Phioc Khali cuid de na caora é féin agus chuir sé ina bhéal iad. Ansin, rinne sé mar a rinne na gabhair. Bhí manach ag siúl an bealach sin agus chuir sé iontas sa rud a chonaic sé.

28

Thóg sé féin cuid de na caora seo, thug ar ais leis iad chuig an mhainistir agus chuir sé uisce te orthu. D'ól sé súimín as an deoch seo agus, go tobann, bhí níos mó fuinnimh aige féin. Thug sé an deoch seo do na manaigh eile sa mhainistir. D'ól siad é agus d'iarr siad a thuilleadh.

An oíche sin tharla rud aisteach ar fad sa mhainistir. I rith an lae, bhíodh na manaigh ag obair go crua sna páirceanna agus, mar sin, bhíodh tuirse mhór orthu agus iad le chéile gach tráthnóna do na paidreacha. Bhí sé de nós ag cuid acu titim ina gcodladh thart fán am seo. Ach, an oíche áirithe seo, d'fhan siad uilig múscailte! Cén míniú a bhí air seo? An deoch aisteach sin! D'inis siad an scéal seo do gach duine. Bhí caife againn!

Ar mhaith leat cupán tae?

De réir seanscéal Síneach, is de thaisme a tháinig muid ar thae chomh maith. Sa bhliain 2737 R.C. bhí an tImpire Shen Nung ag taisteal thart ar an impireacht nuair a stad sé le huisce a bhruith go mbeadh deoch aige. Agus é á dhéanamh seo tháinig séideán gaoithe a shéid duilleoga ó phlanda in aice leis isteach ina chiteal. Chrom Shen Nung isteach ar an chiteal leis na duilleoga a bhaint amach as. Ach d'athraigh sé a intinn nuair a mhothaigh sé an boladh deas a bhí ag teacht amach as. Shocraigh sé ar an deoch seo a bhlaiseadh agus bhí sé iontach sásta a fháil amach go raibh an blas ní ba dheise ná an boladh. Bhí tae déanta aige!

Táimid ag ól tae go fóill ceithre mhíle bliain ina dhiaidh sin. Gach bliain óltar na billiúin lítear tae thart ar an domhan. Níl ach deoch amháin ann a n-óltar níos mó de ná tae – uisce!

Tae i mála?

Rinneadh tae ar an dóigh chéanna leis na mílte bliain: Cuireadh duilleoga tirime i bpota agus líonadh an pota le galuisce. B'éigean an deoch a chur trí chriathar nó a dhoirteadh go cúramach le nach mbeadh na duilleoga sa deoch. Réitigh na málaí tae an fhadhb sin. Ach, ar ndóigh, tharla sé de thaisme.

Díoltóir tae agus caife as Meiriceá, Thomas Sullivan, a chuir tús le málaí tae de thaisme. Ba ghnách leis samplaí dá chuid tae a chur chuig a chustaiméirí i gcannaí beaga. Bhí an nós seo measartha costasach agus shocraigh sé lá amháin, sa bhliain 1904, ar na samplaí seo a chur amach i málaí beaga síoda.

Tharla rud iontach ar fad. In áit na málaí a oscailt agus an tae a bhaint amach chuir na custaiméirí na málaí iomlána sna taephotaí. Bhí a oiread sin dúile acu sna málaí seo gur chuir siad isteach orduithe chuig Thomas Sullivan le níos mó tae a fháil. Agus ní tae sna cannaí a bhí siad a iarraidh ach tae sna málaí beaga!

Tá gach cineál mála tae againn anois ó thosaigh Thomas Sullivan an nós seo de thaisme.

Ar mhaith leat Coke?

B'aireagóir é John Pemberton, ceimiceoir 50 bliain d'aois ó Atlanta, Georgia, sna Stáit Aontaithe. Bhí clú air as a chuid deochanna.

Bhí deochanna iontacha aige. Ceann acu ar thug sé French Wine Coca uirthi (dúirt sé gur sórt cógais a bhí ann do na néaróga, don tsláinte agus go raibh sé spreagthach!), Lemon and Orange Elixir agus Dr Pemberton's Indian Queen Magic Hair Dye.

Ach ba mhian leis cógas a dhéanamh a thabharfadh suaimhneas don chloigeann, tinnis cinn a leigheas, agus na néaróga a shuaimhniú. Sa bhliain 1886 ar 8 Bealtaine bhí sé ina ghairdín cúil. Mheasc sé sugh cnó cóla, siúcra, roinnt caiféine, duilleoga cóca agus sú ó ghlasraí éagsúla. Is rún daingean é an t-oideas ceart!

Thug sé an leacht seo chuig Poitigéir Jacob agus d'iarr sé ar fhear a bhí ag obair ann, darbh ainm Venable, é a mheascadh le huisce agus é a dhéanamh fuar. Rinne Venable mar a dúradh leis agus shuigh an bheirt fhear síos lena bhlaiseadh. Bhí sé iontach blasta ar fad agus d'iarr Pemberton ar Venable gloine eile a dhéanamh dó.

Seo an uair a tharla an 'taisme thairbheach'. In áit gnáthuisce a chur ar an leacht chuir Venable uisce súilíneach air. Níor mhaith leo cuid ar bith den leacht a chur amú agus mar sin bhlais siad beirt an deoch seo. D'aontaigh siad beirt go raibh sí ní ba dheise ná an chéad cheann – agus i bhfad ródheas le díol mar leigheas do thinneas cinn!

Shocraigh siad ar an deoch seo a dhíol leis an phobal mar dheoch shúilíneach. Thug siad *Coca-Cola* air, mar gheall ar na duilleoga cóca agus na cnónna cóla a bhí istigh ann.

Ólann daoine *Coca-Cola* gach áit ar domhan sa lá atá inniu ann. A leithéid de thaisme thairbheach!

Taismí Tairbheacha le hIthe

Crêpe a rinneadh do Suzette de thaisme

Cócaire clúiteach a bhí in Henry Charpentier. Tháinig na sluaite chuig a bhialann *Café de Paris* in Monte Carlo lena bhia blasta a bhlaiseadh. Lá amháin tháinig duine speisialta chuig an bhialann dá dhinnéar. Prionsa na Breataine Bige a bhí ann agus bhí cara leis darbh ainm Suzette.

Bhí an cócaire iontach neirbhíseach go raibh prionsa sa bhialann. Ní raibh sé ar a shuaimhneas ar chor ar bith. Ach d'éirigh go maith leis – bhuel, go dtí an mhilseog.

Ba mhian leis an phrionsa agus le Suzette crêpes a bheith acu. Níor aithin an cócaire bocht go raibh an sorn millteanach te agus nuair a chuir sé an t-anlann air lena théamh chuaigh sé trí thine. Bhí uafás ar an chócaire. "Tá an mhilseog millte!" a chaoin sé.

Ach nuair a shíothlaigh an tine bhlais sé an t-anlann agus thuig sé go ndearna an tine é níos blasta ná mar a bhí roimhe!

Thaitin siad go mór leis an Phrionsa agus le Suzette. Chuir an cócaire na bosa le chéile le háthas. Ansin, ar seisean, "A Mademoiselle Suzette, in amanna déanann meancóga maitheas dúinn! Mar sin, ba mhaith liom Crêpe Suzette a thabhairt ar an mhilseog seo in onóir duitse!"

Brioscaí seacláide

Sa bhliain 1930, bhí teach tábhairne ag Ruth Wakefield sna Stáit Aontaithe darbh ainm The Toll House Inn. Rinne sí féin an chuid is mó den chócaireacht. Lá amháin bhí sí iontach gnóthach agus thosaigh sí ar na brioscaí seacláide a raibh an-ráchairt orthu. Mheasc sí na comhábhair ach bhí rud tábhachtach ar iarraidh: púdar cóca!

Ní chuirfeadh fadhb mar seo moill ar bith ar Ruth. Chuardaigh sí go gasta sna cófraí cistine agus tháinig sí ar bharra seacláide. "Ahá!" a smaoinigh sí. "Brisfidh mé ina phíosaí é agus nuair a bheidh sé leáite meascfaidh sé leis na comhábhair eile."

Ach ní raibh an ceart ag Ruth. Níor leáigh na píosaí seacláide ach d'fhan ina bpíosaí sna brioscaí. Ach cad é an blas a bhí orthu? Thug sí do na cuairteoirí iad.

"Galánta!" ar siad. "An bhfuil a thuilleadh acu ann?"

Bhí an-ráchairt ar bhrioscaí Ruth agus scaip an scéal i bhfad is i gcéin. Go dtí an lá seo tá brioscaí ann a dtugtar Toll House orthu agus iad ainmnithe i ndiaidh an Toll House Inn a bhí ag Ruth Wakefield.

An Poll sna Taoschnónna

Ba Chaptaen loinge é Hanson Gregory agus bhí dúil mhór aige san fharraige. Ach bhí rud amháin a thaitin leis níos mó ná an fharraige féin, bia milis, go háirithe taoschístí friochta.

Lá amháin bhí an Captaen Gregory ag stiúradh na loinge nuair a d'éirigh an aimsir garbh. Bhris tonnta isteach ar an long agus í ag longadán léi sa stoirm. Bhí go leor stoirmeacha feicthe ag an Chaptaen Gregory roimhe agus bhí a fhios aige nach raibh le déanamh aige ach greim daingean a choinneáil ar an roth stiúrtha leis an long a stiúradh sa treo ceart.

I ndiaidh tamaill, tháinig ocras air agus chuir sé teachtaireacht chuig an chócaire roinnt taoschístí a chur chuige. Fán am ar tháinig an cócaire bhí an stoirm ní ba mheasa. Ní raibh an captaen ábalta a lámha a bhaint den roth stiúrtha lena dtógáil. Bhrúigh sé ar an roth stiúrtha iad ceann ar cheann.

D'fhan siad ansin agus, nuair a tháinig suaimhneas ar an stoirm, bhí faill aige greim a fháil ar cheann de na cístí agus poll sa lár anois.

De réir an tseanscéil seo, bhí an Captaen Gregory chomh sásta sin leis na cístí seo le poll sa lár gur ordaigh sé don chócaire iad a dhéanamh mar sin ón lá sin amach. Thaitin an smaoineamh seo leis an chócaire nó bhí na cístí seo níos fusa a dhéanamh agus ní raibh a oiread céanna ama de dhíth orthu le cócaráil.

Agus sin mar a cuireadh tús le taoschnónna.

41

Is Féidir le Taismí Tairbheacha Tarlú do Gach Duine!

Cinnte, tarlaíonn taismí tairbheacha gach áit agus ag gach am. Agus an rud is fearr den iomlán, is féidir leo tarlú do gach duine! Tú féin san áireamh! Smaoinigh ar an spórt a bheidh agat féin agus ag gach duine eile nuair a tharlóidh siad duitse. An bhfuil cuidiú de dhíth ort? Lean na treoracha seo go bhfeicfidh tú!

• Bí fiosrach! Le go mbeidh taisme thairbheach agat caithfidh tú suim a bheith agat i ngach rud atá thart ort sa domhan.

> • Cuir neart ceisteanna. Fiafraigh 'Cén dóigh?', 'Cad chuige?', 'Cá huair?', 'Cá háit?' agus 'Cé?' go minic. Agus ná déan dearmad ar cheisteanna 'Cad chuige nach bhfuil...?' a chur.

>> • Bí réidh le rudaí a thriail. Seo roinnt smaointe le tús a chur le rudaí: Samhlaigh dá mbeadh... Cad é faoi... Abair go ndearna muid... Do bharúil cad é a tharlódh dá mbeadh...

42

- Bí ag brionglóideach agus smaoinigh ar rudaí nua!
- Déan hipitéisí (buillí faoi thuairim) agus barúlacha.
- Bain triail as na buillí faoi thuairim seo.
- Labhair faoi do bharúlacha le daoine eile. B'fhéidir go mbeadh smaointe eile acusan.
- Bí cróga. In amanna bíonn crógacht de dhíth le smaointe úra a leanúint – cuid acu a bhfuil cuma amaideach orthu i dtús báire.

Bain sult as na smaointe nua seo agus cuidigh le daoine eile bheith ag smaoineamh ar an dóigh seo chomh maith. Cad é faoi chlub a thosú d'aireagóirí? Nó iarr ar do mhúinteoir clár fógraí a dhéanamh faoi thaismí tairbheacha sa seomra ranga. Bain úsáid as an chlár seo leis na smaointe nua a bheidh agat féin agus ag do chairde agus na taismí tairbheacha seo a léiriú!

Gluais

aigéad bórach – ceimiceán a úsáidtear mar fhrithsheipteán agus mar thinemhoillitheach (cuireann sé moill ar thine)

aireagóir – duine a thagann ar rud nó a chuireann tús le rud den chéad uair riamh

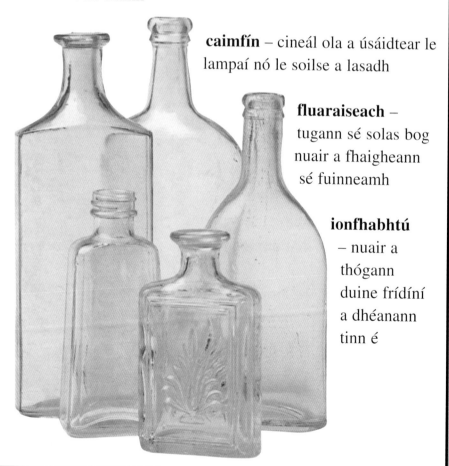

caimfín – cineál ola a úsáidtear le lampaí nó le soilse a lasadh

fluaraiseach – tugann sé solas bog nuair a fhaigheann sé fuinneamh

ionfhabhtú – nuair a thógann duine frídíní a dhéanann tinn é

domhantarraingt – fórsa nádúrtha a mheallann rudaí ar ais chun talaimh

maighnéatrón – feadán folúsach ina smachtaítear sruth na leictreon i réimse maighnéadach

micreathonnta – gearrthonnta raidió ar féidir a úsáid le comharthaí a chur ar aghaidh ó shatailítí. Déanann cuid acu teas ar féidir bia a chócaráil leis

múscán – stuif a fhásann ar arán i ndiaidh dó bheith fágtha tamall fada

peinicillin – cógas a mharaíonn frídíní a chuireann tús le haicídí

sileacan – ábhar crua liath ó screamh an Domhain (go domhain sa talamh). Úsáidtear i gcóimhiotail é agus i rudaí leictreonacha

stafalacocas – baictéar ar féidir leis ionfhabhtú a chur sa chraiceann agus sa seicin mhúcasach

ALAN TRUSSELL-CULLEN

Is maith le gach duine rudaí deasa a tharlaíonn gan choinne, cosúil le cóisirí nó nuair a bhuaileann tú le duine nach bhfaca tú le fada.

Bainimse sult as smaointe gan choinne chomh maith – an cineál smaoinimh a thagann isteach i do cheann nuair nach mbíonn tú ag dúil leis. Bainim sult as an bhrionglóideach. Ní bhíonn a fhios agat cén sórt turais a rachaidh tú air!

Nuair a bhí mise dhá bhliain déag agus nuair a chuir daoine ceist orm cad é a bhí mé ag iarraidh a dhéanamh agus mé níos sine ba ghnách liom a rá, "Ba mhaith liom bheith i m'aireagóir". Thaitin sé liom bheith ag smaoineamh ar rudaí úra a dhéanamh.

Is maith liom léamh faoi aireagóirí chomh maith – go háirithe iad siúd a tháinig ar rudaí de thaisme. Shíl mé go dtiocfadh liom féin rud éigin úsáideach a dhearadh. D'fhéadfá a rá go raibh an smaoineamh faoin leabhar seo a scríobh ar chúl m'intinne le fada, ag fanacht le léim amach agus iontas a chur orm. Agus sin go díreach an rud a rinne sé!

Focal ón Mhaisitheoir

STEVE CLARK

Cén sórt saoil a bheadh againn gan ghuthán, nó gan murlán an dorais, nó gan osclóir cannaí? Smaoinigh duine éigin go fiú ar an scuab agus ar an phéint a úsáidim leis na cartúin sa leabhar seo a tharraingt. Gan na smaointe seo b'fhéidir go mbeadh orm na pictiúir seo a tharraingt le banana agus clábar! Sin an fáth ar bhain mé an-sult as na pictiúir seo a tharraingt de dhaoine lán samhlaíochta ag an am ar cheap siad rud tábhachtach.

Focal ón Ghrianghrafadóir

MARY C. FOLEY

Ó bhí mé trí bliana déag ba mhian liom bheith i mo ghrianghrafadóir. Bhain mé an-sult as grianghraif a tharraingt do *Taismí Tairbheacha!* Bhí gach cineál grianghrafadóireachta i gceist, ábhair neamhbheo agus portráidí. Tá súil agam go mbainfidh tú oiread suilt as an leabhar seo is a bhain mé féin.

An leagan Gaeilge: 2008
An tÁisaonad, Coláiste Ollscoile Naomh Muire, 191 Bóthar na bhFál, Béal Feirste BT12 6FE, Éire
© An tÁisaonad
Foireann an tionscadail: Pól Mac Fheilimidh, Jacqueline de Brún, Ciarán Ó Pronntaigh.
Áine Mhic Giolla Cheara, Risteard Mac Daibhéid, Alicia Nic Earáin, Máire Nic Giolla Cheara, Fionntán Mac Giolla Chiaráin, Clár Ní Labhra agus Seán Fennell.

Foilsithe sa Ríocht Aontaithe ag
Kingscourt Publishing Ltd.
P.O. Box 1427
Chiswick, Londain, W6 9BR

Arna chlóbhualadh ag Colorcraft

ISBN 978 0 732 74820 3